参加したくなるまちづくり

～半田市亀崎での地域資源発掘型活動の記録～

目次

第四章 連携して動く

第五章 人が動くまちづくりへ 45

第一章　亀崎のまち

1　亀崎の歴史と潮干祭

毎年五月、美しい五輌の山車(だし)が海に向かって曳き下ろされる。200年前から大切に引き継がれてきた山車が、並んで海の中を突き進む姿は勇壮である。愛知県半田市亀崎町は、古いまち並みと亀崎潮干祭（ユネスコ無形文化遺産）で有名なまちだ。亀崎の人々は、自ら「祭りのために生きている」と語る。一年を通して老若が集まり祭りのために準備を行い、祭り文化と伝統を伝えてきた。

亀崎は古くは漁村集落に始まり、江戸時代に三河と伊勢を結ぶ海運業で栄え発展した。その後一九世紀には酒造業が盛んとなり、作られた酒は大消費地江戸へ運ばれていった。そうして財を成した旦那衆が、山車を壮麗なものにしていったとされている。

2　坂のまちと、せこ道

亀崎のまちは、海と背後の丘の間に挟まれて集落が形成されてきた。丘から海へと見下ろす甍(いらか)の風景は、どこか懐かしくしみじみと良い景色である。中央に仲町通りが背骨のようにあり、その背後には迷路のような狭

写真 1-1　亀崎潮干祭

写真 1-2　坂から海を見下ろす

い路地「せこ道」がはりめぐらされ、昔ながらの民家が密集している。せこ道の各所には古井戸が残され、散策をすると、間近に人々の暮らしが垣間見られて楽しい。時がとまったかのような古いまち並みは魅力的であり、潮干祭の文化とともに来訪者を惹きつけている。

3　参加したくなるまちへ

このように、歴史の趣が感じられる亀崎のまちであるが、昭和・平成と高齢化が進み徐々に店が減り、人の往来も少ない静かなまちになってきた。それでも長い間、住民の間に特に危機感はなかったという。しかし20年前ごろから「何か始めなければ」とまちおこしを考える団体が発足し、その頃から一歩一歩まちづくりが重ねられてきた。そして今では、昔ながらの祭り文化と新しい活動が両輪となって、まちに新たな展開が見えてきた。新たにまちに関わる人、新たに店を開く人、新たに住む人が出てきたのである。今日に至る過程で、多くの努力や苦労があったことは間違いない。しかしそれに加えて、人を惹きつけ巻き込む推進力がまちのなかで育ってきたことに注視したい。

そこで本書では、第二章にて、現在のまちに見られる活動の様子をいくつか伝え、第三章でまちづくりのステップとなった「ろじうら」について、第四章では「亀崎空家再生プロジェクト」について詳しく述べていく。

第二章　みんなが動くまち

1　今動いている様々な活動

亀崎にはたくさんの活動が溢れている。行政や補助金にたよることなく、個々人がやれることから出発して、様々な活動が折り重なるようにまちづくりが行われている。ここでは主な活動を紹介していくことにしよう。

①かめっこワクワクワーク

子ども向けの職業体験型テーマパーク「キッザニア」の亀崎版といえばわかりやすいかもしれない。「かめっこワクワクワーク」は、亀崎を舞台に、子どもたちが様々な職業体験をすることができるイベントで、1年に1度開催されている。お菓子屋、カフェなど、亀崎の商店主たちが知恵を絞って考えるワークショップ企画は、どれも魅力的である。はんぺん屋でちくわ作りをする子どもたち、出来立てあつあつのちくわを頬張る子どもたちの笑顔は格別である。イベントを通して、子どもたちが地域のお店に親しみを持ち、まちの人を知る良いきっかけになっている。

実際に運営しているのは僅かなボランティアメンバーで、はじめは若い店主仲間

写真 2-1　はんぺん屋でちくわ作り

で開始したという。メンバーはまちの商店に声をかけ協力を募り、賛同する店舗の情報を取りまとめてチラシを作り、子育て家族に告知し、参加費などを集めて管理する。各店舗が無理のない範囲で行え、営業に支障のないようなシステムづくりを心がけ、まちにあるリソースをうまく編集して一つの楽しいイベントを実現している。

写真 2-2　サタデーカフェのフラワーショップ

写真 2-3　サタデーカフェのパン屋

②サタデーカフェ

サタデーカフェは、月一回土曜日に開催されるマルシェである。お菓子、パン、お花、アクセサリーなど、近郊のまちから様々なお店が出店している。２０１６年から開催しており、当初は「まちかどサロンかめとも」で40名ぐらいの来場者からスタートした。食に関係するイベントを開催することで、より多くの人々に訪れてもらいたいと考えたのがきっかけとのことだが、現在は１００名近くが訪れるまで成長し、３軒長屋に場所を移している。どの店にも固定客が育ち、開店前から行列を作るほど人気を博し、すぐに商品が売り切れてしまう店もある。町内のみならず他のエリアからも子連れの女性やお年寄り、高校生などが訪れており、まちに来るきっかけを与え続けている。

③龜崎お月見座

中秋の名月に合わせて亀崎の海岸で開催される小さな野外映画祭である「龜崎お月見座」は、夕暮れ時から地元のヒーローショーが開催され、それを目掛けて地元の子どもたちが集まる。日が暮れるといよいよ防波堤をスクリーンにして子ども向けのアニメーションが映し出され、来場者たちは潮風を心地よく受けながら秋の夜を楽しむのである。企画している30歳代の間瀬敬久さんは、幼少の頃に地元の公園でかつて野外映画が開催されていた思い出が強く残っていて、いつか大人になった時に自分が地元の子どもたちに向けて楽しみを与えられる存在でありたいと思っていたそうである。

④串あさり講座

亀崎潮干祭の際に各家庭で振る舞われていた亀崎の伝統食「串あさり」。亀崎の市民活動団体「ルート21」は、毎年春になると地域の子どもたちに向けて串あさりづくりの講習会を開催している。生のあさりを専用のナイフでいとも簡単にぐるりと開いて剥き身をつくる。ベテランの方々に教わりながら、子どもたちは苦戦しながらも一つひとつ剥き身を作り、それを串に刺していく。今や亀崎の人でさえ、一部しかつくることができなくなってしまった亀崎の伝統食を、子どもたちに楽しみながら知ってもらうことで、亀崎が誇る伝統文化を次の世代に継承しようとしている。

⑤亀崎観月会

大正天皇の皇位継承に際して、即位の儀礼である大嘗祭で使用された悠紀殿の屏風に描かれた亀崎の月。以降、亀崎は「月の名所」として知られるようになり、中秋の頃になると亀崎神社外苑の観月亭で毎年観月茶会が開かれていたと言われている。しかし残念なことに、昭和34年の伊勢湾台風で観月亭は倒壊してしまい人々の記憶から消えてしまっていた。2015年、大嘗祭から100年を記念し、名月を愛でる会を開催し

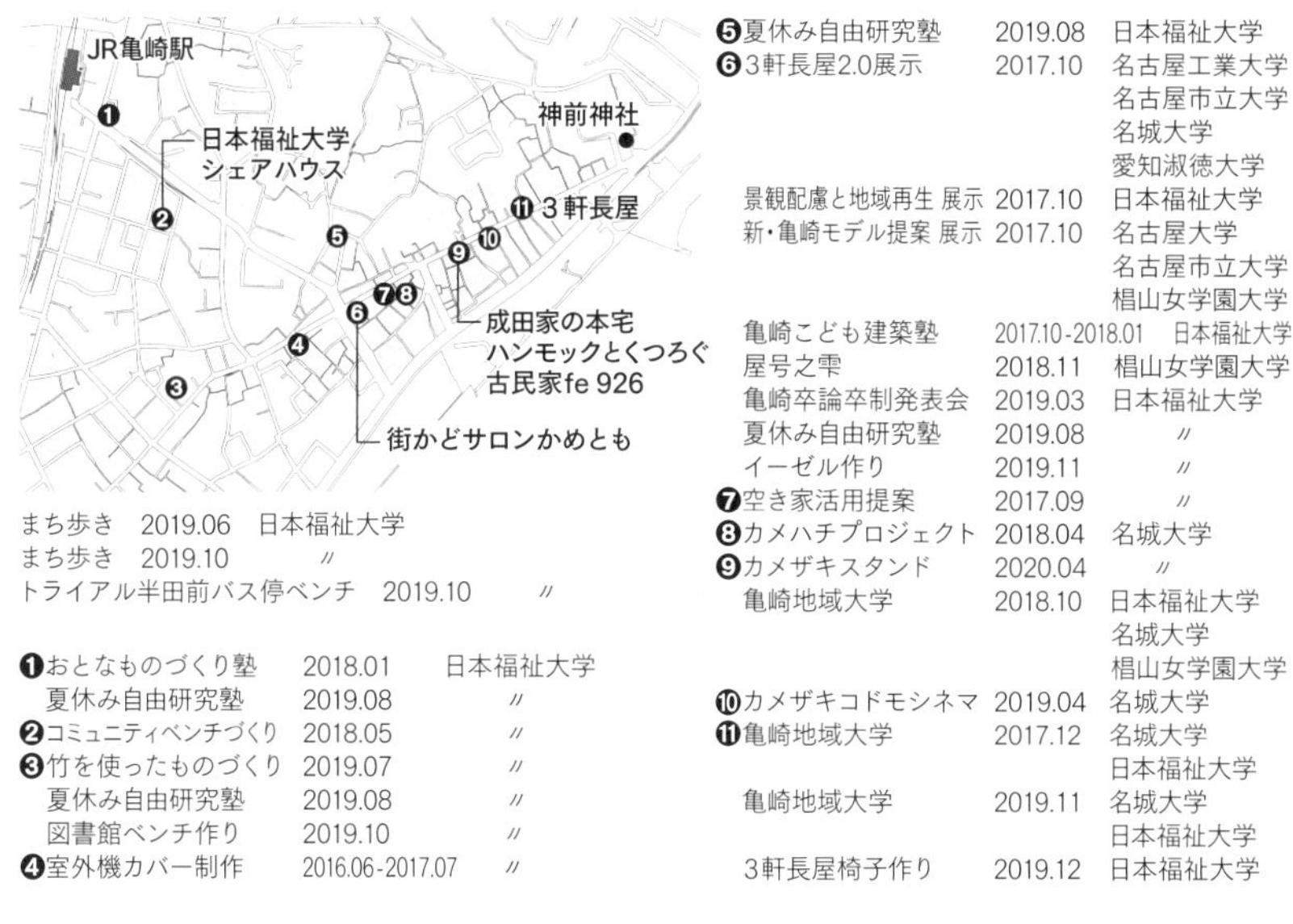

図 2-1　学生の活動

ようと地元の有志の方々がそこに自作の観月亭を再建した。以降、毎年中秋の名月の日に合わせて亀崎観月会が開催され、人々は百数年前の亀崎の月の姿を想像するのである。

2　大学生の実践フィールドへ

亀崎には現在、たくさんの大学生が関わっている（図2-1）。当初はキャンパスの近い日本福祉大学の学生たちがまちづくりに関わり始めた。その後「亀崎空家再生プロジェクト」における大学生の提案をきっかけに、現在では名古屋からも様々な大学の学生が関わるようになっている。地域には、学生たちの自由な発想を寛容に受けとめ、応援する雰囲気がある。

①亀崎地域大学～研究されるまちへ

「亀崎地域大学」は、毎年秋に、大学生がまちづくりの提案やまちのリサーチ結果を発表する場として2016年より開催されてきた。地域の方々に向けて、学生の視点で考えた今後のまちのビジョンを投げかける機会となっている。まちの人々は、

写真 2-4　亀崎地域大学における展示の様子

写真 2-5　完成した室外機の前で

展示を通じて学生がこのまちでどんな活動を行おうと考えているのかを事前に知ることとなる。

②はじまりは室外機カバー

亀崎で最初に日本福祉大学の学生が行った活動は、室外機カバーの製作である。まちで何ができるのかを調査した結果、室外機カバーでまちの景観を整えることを思い至ったとのことである。デザインは亀崎の住宅によくみられる格子にならい、まち並みに溶け込む木製のものにした。まちに入った学生によると、まちの人々がとても協力的で温かいことを感じたという。

③学生シェアハウス

その後、地域と大学の縁は深まり、日本福祉大学の坂口大史研究室の学生が、2016年より1軒の空家を借りてシェアハウスを開始した。大学研究室のサテライト的な意味も併せ持つという。とくに建物を改修したわけではなく、あるがままの空家を大掃除した後、3名が共同生活を始めた。まもなく地域の人々と学生の交流は始まったという。近くの住民が野菜のおすそわけを届けたり、学生が地域の清掃活動に参加したりといった行き来である。そこで、関係をさらに深めるために、学生はシェアハウスの前にコミュニティベンチを作成した（**写真2－6**）。学生がそこで夕方ぼんやりとまちを眺めながらくつろいだり、地域の人が座って小休止するなどして、それ

写真 2-6
シェアハウス前の
コミュニティベンチ

写真 2-7
ロードバイクスタンド（カメザキスタンド）

をきっかけに前を通る人と滞在する人のコミュニケーションが生まれていった。

④ロードバイクスタンド

一方、名城大学の学生は２０２０年、仲町通り沿いの古民家カフェ（ハンモックとくつろぐ古民家ｆｅ　９２６〈コミンカフェ〉）の前にロードバイクスタンド（カメザキスタンド）を作成した。知多半島には、愛好家の間で有名な知多半島一周サイクリングコース「知多イチ」があり、多くのロードバイカーが半島を訪れているが、従来は亀崎付近の海沿いを通過していた。その流れをまちの中に引き込み、亀崎のカフェなどで一休みをしてまちを散策するきっかけをつくりたい、という願いからこのロードバイクスタンドが企画された。設置された場所が歴史ある町家（成田家の本宅）の前であり、ＳＮＳ発信なども意識され、学生らしい特徴的なデザインで完成した。

⑤亀崎まちあそびプロジェクト

亀崎地区出身の大学生たちが、大学の枠を超えて集まった「亀崎まちあそびプロジェクト」というグループがある。同窓会的に故郷に戻るような感覚で作られるサークルという点が面白い。彼らが作った「謎解きウォーク」は、亀崎のまちの魅力的なところを地図にして、スタンプラリーのように地図を片手にまちを探検してもらう仕組みであり、地図はまちのお店で販売されている。

写真 2-8　カメハチワークショップ

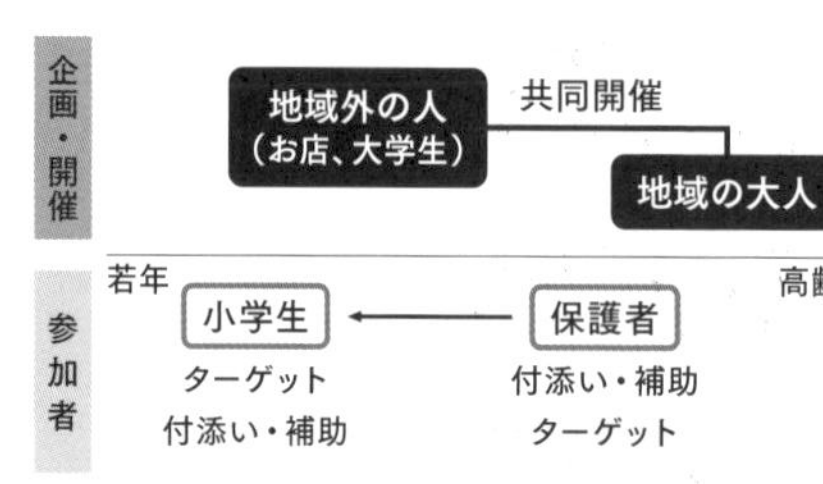

図 2-2　関係人口を増やす仕組み

3　未来へつながるターゲット設定～子どもたちとともに

亀崎における活動は、ある時点から、子どもを巻き込むワークショップが増えてきた。子どもを巻き込むと、結果として親世代も参加・関与するようになり、子ども・保護者・学生・地域の人々と、いろいろな年代の人たちがまちに出入りをするようになる。そして、それらの人たちがまちに関心をもち、理解を深めるきっかけにもなるのである。

①子ども建築塾「秘密基地ワークショップ」

２０１７年、子ども建築塾と称する5回の連続ワークショップが日本福祉大学の研究室により開催された。最初は家の模型づくりからはじまり、最後は木材を使って、グループで空き地に秘密基地を作成するに至るワークショップで、回を追うごとに人気が出て子どもの参加が増えていった。空き地での制作では、子どものみならず親も真剣になり活動に参加した。地域の空き地に、親子の声がこだまする。子どもたちがまちに入り込み、空き地で遊ぶことを発見するといった連環が期待できるワークショップであった。

②「カメハチワークショップ」

同じく２０１７年、名城大学の学生は子どもたちとともに「カメハチ（植木鉢）」を作成するワークショップを行った。地元の小学生たちに、いつまでもこのまちへの愛着

写真 2-9
せこ井戸の周りにカメハチ（植木鉢）を設置

図 2-3
夏休み自由研究塾のフライヤー

図 2-4
かめざき子どもシネマのフライヤー

を持って欲しいという願いを込めて一緒にカメハチを制作し、せこ道の井戸端に設置した。カメハチの花は、井戸の水を使って住民の手で育てることになった。海辺のまちにふさわしく鮮やかな色のカメハチは、仲町通りからもちらりと見える位置にあり、外来者も鮮やかな色に誘われてせこ道に足を踏み入れるであろう。学生は当初、このまちで自分達に何ができるのかを考えるところからスタートした。何週間もまちをリサーチして歩き回り、そのうちまちの人と顔見知りになり、家に上がり込んで話をするほどになり、ついに小学生と作る植木鉢のお世話を引き受けてもらうに至った。その体験を通して学生たちは、地域に関わる責任感と喜びを実感したに違いない。

③地域に広がる「子どもワークショップ」の連鎖

このほかにも、地域では続々と子どもを対象とした企画が開催されている。「夏休み自由研究塾」は、地域のお母さんたちにヒアリングをして思いついた企画とのこと。地域施設をむすびつけネットワーク化させる活動となっているのが特徴だ。亀崎児童センターではダンボール迷路、亀崎図書館ではブックカバーづくりと、まちの様々な施設を巻き込んでワークショップが展開されている。

また「かめざきこどもシネマ」では、ふだんは開いていないまちの古民家を舞台として、手作りプロジェクター制作と投影が行われた。家開きの一種

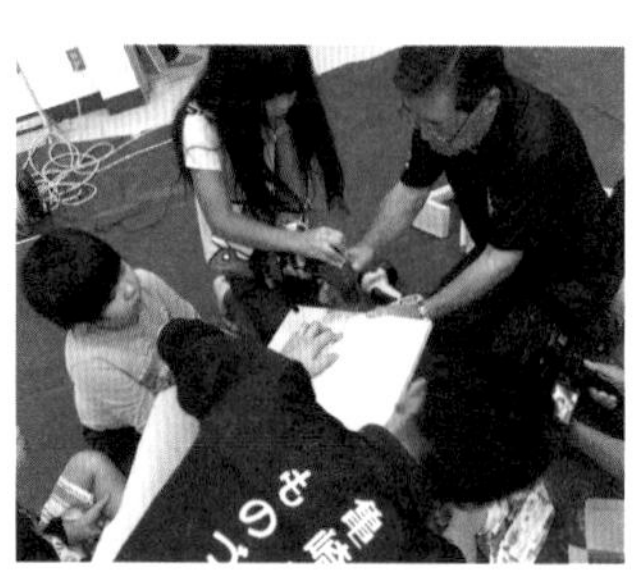

写真 2-10　亀崎建築ものづくり塾

大学生

強み
設計を学んでいる

弱み
施行体験が少ない

学校での学びを地域で実践

地域の大人

強み
DIYが得意
経験値が豊富

得意を活かして貢献感の醸成

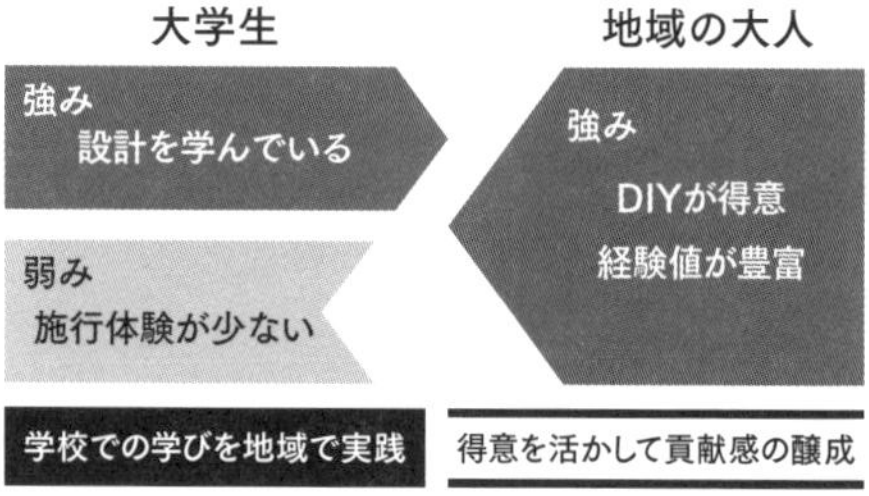

図 2-5　学生×地域の大人

ともいえるこの活動もまた、まちのなかに埋もれている活かせる資産に気づいてもらいネットワーク化させようとする取り組みである。

4　多世代による取り組み

こうした取り組みは、子どもにとどまらず、地域の大人と学生の連携にも広がりを持ちはじめている。

①亀崎おもいやり応援隊と学生の連携

亀崎には住民同士が助け合う「亀崎おもいやり応援隊」というグループがある。主に中高年の方が会員となり、買い物弱者への応援や、公園の草刈り清掃、応援依頼者宅での活動（庭木の伐採や家の補修など）を行っている。２０１８年、日本福祉大学の学生は亀崎おもいやり応援隊と一緒に「亀崎建築ものづくり塾」という新たなプロジェクトを開始した。ものづくり活動では、大学生が設計図を描き、その制作にＤＩＹの得意な地域の大人たちが共同する。制作実体験の少ない学生にとって学び多き場となるとともに、地域の大人にとっても教える喜びを感じる機会となっているに違いない。さらに２０１９年には、亀崎中学校内にも「亀崎おもいやり応援隊ジュニア」という団体が立ちあがり、中学生が会員とともにボランティア活動を開始した。

5　積み重ねまちづくり

こうした亀崎における様々な活動の一つひとつは、大規模イベントではない。様々な小さな活動が寄り集まるようにして、次々と連鎖的につながり発展している。そして小さいがゆえに、個人ができることから始められるフットワークの軽さがある。例えば、「かめっこワクワクワーク」がその典型であるが、1軒1軒の店の心意気で創意工夫されたワークショップ、それが1軒だけで行うと店の単発イベントで終わってしまうわけだが、そこに「取りまとめやネーミング、チラシ」といった編集が入ることで、まち全体をあげた楽しいイベントになっていく。同じように、まちに多くの大学生や子どもたちが入り込み、地域の方々と関わりを見つけていきながら、小さな活動を楽しんで実践している。その小さな活動の集まりや編集が「常にまちに何かが起きている」状況を生み出している。

現状の亀崎の良い点は、反応や声援がかえってくることにもあるだろう。なにより住民が協力的であり理解がある。学生が地域に入り込みのびのびと活動を続けていけるのも、子どもたちがまちに入る多くのきっかけを持てているのも、地域の人々にそれを受けとめる素地ができたからこそである。そして活動に対して、できるだけ連鎖する人々を増やそうとする意識的な努力も見逃せない。そこには、現在に至るまでのまちづくり活動を通して培われてきた経験値が活かされている。そして、まちの形も少しずつ変わろうとしている。一度は閉業した酒蔵（敷嶋）を復興させようという動きや亀崎公園の再整備、亀崎のまちの未来を考える協議会のたちあげなどがあげられる。この後の章では、ここに至る経緯を見ていくこととする。

澤田佳久さん

澤田佳久さんは、亀崎のまちで書道教室を開いており、かめっこワクワクワークやサタデーカフェなどの運営にも関わっている。40代でまちを積極的に盛り上げている澤田さんに、お話を聞いてみた。

――まちに来られて何年ですか？　どのようなきっかけで来られたのでしょう。

澤田：まちに来て7年が経ちました。自分から発信して何かをやりたくて…。亀崎のまちおこしのポスターを見て連絡をとったのがきっかけです。「かめとも」の改修が決まった段階で子ども書道教室の開催を相談されていました。

――書道教室を通してまちとの関わりに変化はありましたか？

澤田：毎週子どもが「かめとも」に来るので、「かめとも」とまちとの間の目に見えない壁のようなものがなくなっていったと思います。「かめとも」でのイベントの告知を行うと人が来るようになりました。しばらくすると書道教室だけでなくそこからもう一アクション起こすことが大切という話になりました。そこでサタデーカフェを考えたのです。出店者は、知人の紹介をもとに自分でお店を訪れて話をしたりして集めました。マルシェには室外マルシェと室内マルシェがあります。室外マルシェは天気に左右されたりするので出店者にとってリスクもあるし設営も手間なのですが、ここは室内マルシェです。

室内マルシェは商品を持ってくるだけで良いので出店者のメリットもあると思います。まちのお年寄りや主婦、高校生なども訪れます。亀崎のおばあちゃんたちは、実は周りの人に配るためにパン屋でたくさんのパンを買っていくらしいのです。「マルシェで美味しそうなパン買ってきたから一緒に食べよう」ってね。そのおかげで口コミの宣伝になっていて、いつも行列です。

――リノベストリートの活動も関わっていますか？

澤田：松下京子さんが常滑の陶芸作家を紹介してくださって、亀崎出身の作家さんも絡めて3軒長屋で展覧会を企画しました。3軒長屋以外の活動も全体につなげて「リノベストリート」と銘打ち活動し始めました。僕は必要書類を集めてイベントの情報をのせて、回覧板に入れたり、市に持って行ったりする。まちおこしでは目に見えていないところの活動も大事だと思います。地域の協力や承認も大切です。

――自分自身の意識で変わったことはありますか？

澤田：まちおこしの会の要だった榊原安宏さんが抜けたときですかね。いろいろな人の情報を集めて、編集する作業を引き継いだ責任を感じました。それを通じて様々な人との気持が通じ合うようになったのはいいことです。また自分の役割はかならず全うするようにしようと意識が変わりました。持続してきたからこそ、力の抜き方のコツを得てきました。今後は若くて意識の高い人が来たときに、まちが歓迎する雰囲気になれると良いと思っています。亀崎はまち自体が成熟しているので、礼儀正しく関わっていくと、誰かが見ていて応援してくれる、それが亀崎の良いところです。

――最後に何かメッセージをお願いします。

澤田：まちの人が定期的な会議をしてきたことがポイントだと思います。出過ぎないけど主体性があり持続していける人が大切です。作り込む楽しさのあるコンテンツを、運営できる少人数でまわしていく方法が良いのではないかと思います。まちおこしは参加者がおんぶにだっこではだめなので、関わる人の主体性を引き出すこと、そしてそれを繋げていくことが大切ですね。

第三章　発見して動く

1　まち全体を使ったイベント

亀崎のまちでは秋になると「ろじうら」が開催される。ろじうらは、亀崎の仲町通りと呼ばれる通り約600メートルをメイン会場として開催される、マルシェ、ライブ、アートを複合した市民団体が運営するイベントである。イベント当日はそこに点在する空き家や空き地を利用して飲食や雑貨の店舗が出店したり、公園や寺院で音楽ライブが開催されたり、路地空間などに置かれた現代アートを楽しんだりすることができ、片側が歩行者天国として開放された仲町通りには、多くの人がぶらぶらと散策しながらイベント楽しむ様子を見ることができる。

2　イベントを始める契機

「ろじうら」のイベントの始まりは2010年の秋。亀崎のまちで商売を営む若い夫婦の発案から、それに賛同した雑貨店の2人が加わり、第1回目のろじうらが開催された。ろじうらが始まった当時はマルシェが徐々に注目され始めた時期で、それまでの露天商が中心のイベントから徐々におしゃれ

写真 3-1　公園で行われる音楽ライブ

写真 3-2　路地に設置された現代アート

さやスタイリッシュさも兼ね備えた店舗へのニーズが高まっていったタイミングでもあった。

もともとある亀崎の古い建物を、「衰退」や「寂れ」と捉えるのではなく、「レトロ」と捉え直し、若い世代が心躍るような見せ方、つまりまちの至るところにおしゃれさを施しながらイベントを開催することによって、若い人にとってはそれが新鮮に映り、不思議な空間にタイムトリップしたかのような感覚を楽しむ若い人がたくさん亀崎に集まるのではと考えたのである。メンバーは、雑貨店の関係者や知人のアーティストに呼びかけを行い、第一回目のろじうらの開催に漕ぎ着けた。

ただ、開催にあたってはすべてが順風満帆に運んだわけではなかった。現在よりももっと広域なエリアをイベントエリアとして設定していたことや、企画の立案から実施まで約3カ月というタイトなスケジュールだったことも重なって、地元の人への周知や合意形成が不十分だった点は否めず、新しい感覚を楽しむ人がたくさん来場した一方で、地元の人からは「勝手にやっている」「やかましい」などの意見が多く聞こえたのも事実である。

3　地元との歩み寄り

翌年以降からは、主催者の中心メンバーとして地元の若手経営者の集まり「亀有塾」のメンバーが加わった。そして徐々に地元の意見に耳を傾けながらお互いの妥

写真 3-3　初めて開催された「ろじうら」

写真 3-4　桟掛祭で披露される演目

協点を模索し、合意形成を図ることができるようになっていく。3年目から実施した開催日程の見直しは地元との関係性においては非常に大きな転換点になった。それまで11月だったのを、10月中旬に開催される地元の例大祭である桟掛祭と日程を合わせることにしたのである。もともと桟掛祭は地元の人には認知されており、桟掛祭の奉納行事として、神前神社前のステージで様々な演目が披露されたり、ステージの最後には、厄災会による餅投げが行われたりする祭だが、地元以外の人にはほとんど認知されていなかった。

この祭とろじうらの同時開催をきっかけに、各組の山車のサヤをイベント会場の一部として利用できるようになったり、桟掛祭を地元以外の人も楽しむことができるようになったりと、相互にメリットを享受するようになった。特に、夜に実施される各組の車元から神前神社への打ち囃子の奉納行事は、静寂さの中で祭人が提灯を持って行列する様子が非常に幻想的で趣深く、地元以外の人にとっては亀崎の印象的な思い出になることだろう。

祭との同時開催により地元とのつながりがますます増えていったろじうらは、学校との連携も深めていく。地元の小学校に授業の一貫としてイベントの会場演出のための装飾制作を依頼して以降、亀崎小学校の3年生になると、亀崎公園に設置するオリジナルのフラッグづくりを行うことがこのまちに住む小学生の慣例となった。

また、小学生だけでなく、大学生との連携も進む。「亀崎空家再生プロジェクト」以降、まちとの関わりを持った大学の研究室が行った研究活動の発表の場として、

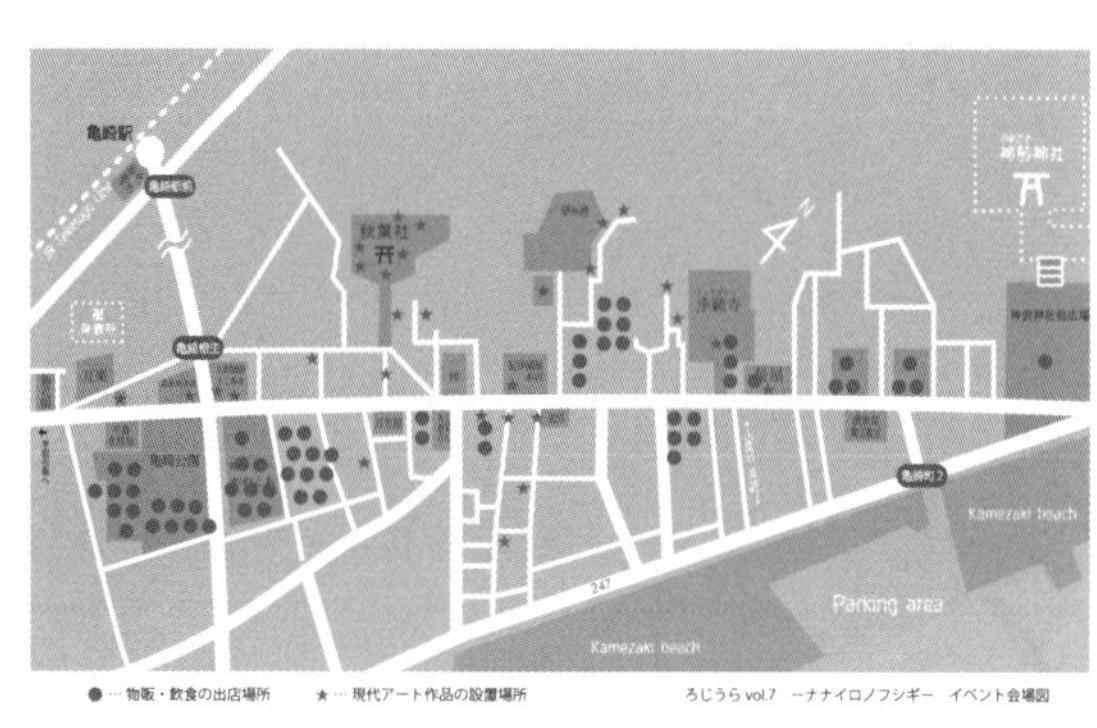

図 3-1 ろじうらイベント会場図

図 3-2 ろじうらイベントのフライヤー

「亀崎地域大学」という展示をろじうらの企画の一つとして行っており、古民家やカフェに設置されたパネルや模型などを通じて地域の方々に広く学生の活動や研究を知ってもらう役割の一つとして機能している。

このように、祭との同時開催をきっかけに地元との融合を図っていったろじうらは、毎年６０００人ほどが来場するイベントとなり、外部からの来場者とともに地元の人も楽しむことのできる、まち全体を使ったイベントに徐々にアップデートされていくこととなった。

4 まちの資産の見せ方

イベントに来てまちを歩いてみると、気付くことがある。仲町通りのメインストリートにはまったく露店が並んでいないのである。メンバーは、まちの景観やまちの空気そのものが亀崎にとっての資産だと考えている。例えば、まちじゅうに張り巡らされた細い路地空間や、至る所に貼られた祭に関する掲示物から受け取ることのできる亀崎の人々にとっての祭の位置づけの高さ、わずかではあるものの未だ残るかつて栄えたまちの歴史や文化的な香り。そういったものの細やかな発見を楽しむことをイベント来場者に期待し、メインストリートの路上にはまったく露店を配置せず、あ

写真 3-5　ろじうら当日の仲町通りの様子

写真 3-6　せこみちを活かした現代アート作品

えて文化的景観そのものが露出するような空間づくりを徹底している。

現代アート作品を設置する場所はアーティストに委ねているため様々だ。実行委員会から設置場所を指定することはなく、アーティストが下見をし、場所を選定する。それはアーティスト視点での新たなまちの資産発見の作業だと考えているからで、時に驚くような場所に設置された現代アート作品も亀崎のまちの資産である。そういったアーティストの新たな視点とメンバーの思想を融合させながら、まち全体を見せることも、このろじうらというイベントの特徴と言えるだろう。

5　永く続けるために

イベントに関しては、その効果は一過性のものではないかと否定的に言われることも多い中、10年間継続して実施したことのまちへの効果は確実にあった。例えば、ろじうらをきっかけとして亀崎のまちに興味を持ち移住してくる若者がいたり、亀崎で新たに商売を始める人が出てきたりと、まちの機運を高め、新たな可能性を提示する役割としてろじうらが継続的に実施されてきた意義は深い。

どんなイベントであろうと、永く続けるにあたって、資金と地元の理解

写真 3-7　山車のサヤをイベント会場の一部として利用

写真 3-8　亀崎を良くしたいという若手メンバーで構成

は欠かせない。資金面で言えば、ろじうらは最初の1年は地元の信用金庫のサポートプログラムの支援を受けた。その後3年間、市が募集する市民活動助成金に応募し、イベントにかかる費用の半分の助成を受けながら、徐々に独立できるようオリジナルグッズの販売などを進め、5年目からは完全に自立してイベントを実施している。ただ、オリジナルグッズの収益や出店者からの出店料を合算しても、イベントが実施できるには程遠く、ろじうら実施の予算の約半分を地元の商店や企業の方々からの協賛金で賄っているのが実情だ。つまり、地元の人々の理解や協力があってこそ、こういったイベントが開催できるのであり、桟掛祭をきっかけとして地元との融和を図っていった点は亀崎のまちにおいてのターニングポイントとして特筆すべき事項である。

亀崎キーパーソンインタビュー②

間瀬友雄さん

間瀬友雄さんは、亀崎にて不動産会社を営み、潮干祭、ろじうら、空家再生プロジェクトなどで、牽引役として活動に関わってきた。

――まちとの関わりは？

間瀬：昭和46年から平成元年まで亀崎で生まれ育ち、それから大学へ行きました。平成4年に戻り、平成7年に家業（不動産会社）を継ぎました。お祭りには子どもの頃から参加し、大学中もお祭りの時には帰ってきていました。学生が終わった後は消防団の地域の分団長をやっていたので、いろいろなところへ顔を出していて、その後は法人会（公益社団法人半田法人会半田第４支部）に参加しました。そして「ろじうら」が始まる2年前に亀有塾（人づくり町づくり委員会）を発足しました。その後「ろじうら」に関わっています。当初はマルシェなどがはやっていて、初めの3年間は半田市から補助金をもらいました。桟掛祭と同時開催をするようになってから、山車のさやや空き家を使えるようになりました。今は「ろじうら」に6000人くらい集まるようになって、それを応援したいと移住する人や、店を開く人が現れました。

――空き家再生や「ろじうら」に関わる中で意識の変化は？

間瀬：父が地元愛の強い人で、その影響があるのではないかと思います。さらに、学生時代に他所に出たことで郷土愛が高まりました。小さい頃からいろいろな人のお世話になったので、まちをどうにかしないといけないと思っています。不動産屋という家業も影響しています。

――間瀬さんは不動産業ということでまちの空き家事情に詳しく、空き家の改修に深く関わってこられましたが、まちの雰囲気は変わりましたか？

間瀬：変わりました。衰退しつつあったまちの中で、新しく店が生まれ変わったことがすごくいい。まちの表情が変わった。亀崎のまちの人のみでは、保守的に考えすぎてしまってこのようなムーブメントはおきなかったと思います。外部の人がまちづくりに入ってきたからこそ、難しく考えすぎずに前進できた気がします。

――今後のビジョンは？

間瀬：ここまでやってきたからには、子どもたちに何かを形に遺して引き継ぎたいですね。地域の学校などと繋がりができたのは大きかったです。そういうコミュニティが大切だと思います。

――幼い頃から祭りに参加することで、まちへの意識を育んでいるのではありませんか？

間瀬：そうです。祭りでは、どんなに小さくても役割分担はあります。大切な彫物の扱いなどで近所の人に怒られることもありますし。まちの子どもたちを、まちの人が皆で見守っているところがある。しかし、だんだんと祭りも人が減っているので、山車を更新しなければならない時がきたら、次は安物になるかもしれない。江戸から続くオリジナルの山車を使っての祭は私たちが最後かもしれない。そんな危機感は持っています。これからも関わり続けられる限りは頑張っていきます。

第四章　連携して動く

1　亀崎空家再生プロジェクトとは

「亀崎空家再生プロジェクト」とは、半田市亀崎地区において、主に2015年から2017年にかけて、地域内外の有志によって実施された取組である。この取組は、市民主体のまちづくりの推進とともに、行政、大学、商工会議所等と連携を図り、空き家・空き店舗を利活用した創業支援と移住促進によって地域の景観保全と再活性化を目指す活動である。これがきっかけとなって、新しい様々な活動が生まれてきていることは第二章で述べている通りである。この章では、「亀崎空家再生プロジェクト」について詳細に記述したい。

2　きっかけ

2013年、特定非営利活動法人「亀崎まちおこしの会」（以後まちおこしの会）が発足する。それは、藤友呉服店として長年使われてきた建物が空き店舗となり、そこをまちのために再利用してほしいという所有者の思いを叶える受け皿として、亀崎地区の住民が中心となって立ち上げた法人である。この法人が中心となって寄付金や助成金を集めて建物を改修することで、地域のコミュニティ施設として竣工した。２０１４年の４月のことである。

２０１４年12月から２０１５年４月には、その施設（街かどサロンかめとも）を利用した、まちおこしの会によるワークショップ（亀崎コミュニティデザイン会議）が開催される。そのワークショップでは、亀崎の良いところ、良くないところ、それを良くする方法など、まちに関して忌憚のない話し合いが行われた。その会には、10代から40代の比較的若い世代も亀崎地区内にかかわらず招かれた。筆者もまた、このワークショップから亀崎に関わり始めたうちの一人である。こうして亀崎特有の景観の魅力や、空き家や空き店舗の増加問題などが、住民間に共有されることとなった。さらに、できることから何か始めていこうという意識も、同時に参加者の中には芽生えていたように思う。

写真 4-1　街かどサロンかめとも外観

3　プロジェクト始動

できることから考える、小さな活動から始めてみる、という理念のもと、有志が集まり「亀崎空家再生プロジェクト」は始動した。有志はこれまでの経歴も違えば、一緒に仕事をしたことがあるわけでもない寄せ集めであったが、コアメンバーとして、亀崎在住者、地元の宅地建物取引主任者、建築士、大学の職員などが名乗りをあげた。このコアメンバーがいれば、地域の人との交渉、専門的な見解、行政や大学との協働要請、広報活動など推進することができそうだった。コアメンバーの他

亀崎空家再生プロジェクト　コアメンバー（順不同）

石川正喜　（60代、亀崎まちおこしの会理事・運営委員長、半田市亀崎在住）実行委員長（統括）

榊原安宏　（60代、亀崎まちおこしの会事務局、半田市在住）統括補助、行政との調整、資金の管理

松下京子　（60代、亀崎まちおこしの会理事、半田市亀崎在住、来教寺おくりさん）
ソフト事業の企画推進、地元住民との調整

間瀬友雄　（40代、亀崎まちおこしの会副理事長、半田市亀崎在勤、不動産業経営、宅地建物取引主任者）
賃貸契約、賃貸物件管理、地元住民との調整

吉村真基　（40代、亀崎まちおこしの会会員、設計事務所経営、一級建築士）
ハード事業の企画推進、改修設計

高原えり子（40代、亀崎まちおこしの会会員、亀崎商店街振興組合役員、半田市亀崎在住貴金属時計店経営）
地元住民との調整

池脇啓太　（30代、亀崎まちおこしの会会員、半田市在住日本福祉大学Cラボ半田職員）
ソフト事業と情報発信事業の企画推進

市川大輔　（30代、亀崎まちおこしの会会員、半田市在勤設計事務所経営、一級建築士）
統括補助、スケジュール管理、改修設計

その他メンバー（2～3か月に一度の全体会議）

地元の大工、地元の建築士、税理士事務所、信用金庫、商工会議所など

図 4-1　コアメンバーとその役割（順不同、年齢は当時）

にもサブメンバーとして、地元の大工、税理士、商工会議所、信用金庫にも参加していただいた。これは、元市議会議員で元観光協会事務局長の経歴を持つコアメンバーの榊原安宏さんの機転によるところが大きかった。榊原さんは、どんな人にどのように声がけするのが良いのかを心得ていた。参加者はみな無給でボランタリーな活動であるにも関わらず、自主的にあるいは楽しんで参加しているように筆者からは見えた。

活動はまず、お金をかけなくても始められることは何かを考えた。ブレストで出てきたのは、空き家の現状を把握してみることだった。空き家が増えてきていると感じていても、本当にそうなのか、さらに地区内には実際に再生することができる空き家は存在しているのか、自分たちの目で確認する必要を感じたからである。

活動を始めてしばらくすると、半田市により国の地方創生加速化交付金を財源とした、地域活性化につながる空き家対策を担う団体に交付する補助公募がなされた。まちおこしの会が応募した結果、最大３６５０万円まで（助成率１００％）交付される団体に選定された。それからというもの、コアメンバーの集まる回数は増え、プロジェクトの実施スピードはにわかに加速した。

図 4-2　外観目視調査結果

4　現状把握

まずは空き家の現状を把握するところからスタートした。亀崎地区には、半田市が景観形成重点地区として設定している箇所がある。その範囲は潮干祭の際に山車が運行する主要な道、つまり線状のエリアに限定されていたが、今回の調査範囲は、それを元にさらに広がりを面的なものとした。

調査員の目視による外観だけの調査だが、一軒一軒足を運び、チェックリストを埋めていき空き家かどうかを、総合的に判別した。チェック項目は、表札や電気メータの有無などの客観的な事実から、人の気配や庭の手入れ具合といった一見曖昧なものまである。一部に主観的な判断も含まれるため調査員によるバラつきが想定されたが、利活用を目的とした現状把握としては十分な精度であると判断した。延べ5日間、23人によって665軒を調査することができた。

結果、空き家と判断したのは73軒であり、空き家率は約11％であった。

この空き家調査において、実際にまちを歩き一軒一軒の家屋を見て回ったことは、空き家の数の把握という成果だけでなく、まちの構造を再認識する機会にもなった。時間をかけて様々な主体によって形作られたまちの構造。それは近代的な開発によっていったん漂白された「新しい」まちではなく、その時々の判断の積み重ねとしての骨格があり、小さな変化を許容して多重性と多様性を備えた風景だ。地形や光、風、海、みち（せこ道）、人々の生活など様々な要素の強固な総体として、時間をかけてまちができている。だからこそ、例えば昭和初期という一時の風景に戻すというような改修方法は亀崎には不適当だと感じるようになった。積み重ねとしてのまちが続くための、その「ひと重ね」に参加する、このプロジェクトをそんなふうに位置づけたいと考えるようになった。

5　所有者と移住者・事業者の募集（地域資源との連携）

亀崎地区のハード面の現状把握とともに、我々にはまだ、確かめておかなければならないことがあった。空き家で困っている人がいるかどうか、さらに空き家を活用したいと思っている人がいるのかどうか、空き家に直面する人々の「生の声」を確認しておきたかったのである。いわゆる空き家問題というだけの抽象的な課題ではなく、「○○さんが困っている空き家を○○さんの活動の場に再生する」という具合に、実感を持った具体的な課題にシフトさせていかなくてはならない。実感こそが必ずドライビングフォースになると考えた。

写真 4-2　空き家再生フォーラムの様子

写真 4-3　空き家相談会の様子

写真 4-4　空き家ツアーの様子

そこで、「空き家再生フォーラム」「空き家相談会」「空き家ツアー」という3つの企画を行った。「フォーラム」は、すでに亀崎地区で空き家・空き店舗を活用して移住した方や創業した方の話を聴ける機会。「相談会」は空き家の所有者と利活用希望者が建築士や宅地建物取引主任者に相談できる機会。「ツアー」は亀崎地区の空き家のいくつかを見学して、具体的にその建物を利活用するイメージをつくる機会。「ツアー」には市内外から74名もの参加があるなど、いずれも想定を超える人数の参加があり、遠方からの参加にも驚いた。私たちはこの時、亀崎地区の空き家が持っている資源としてのポテンシャルを目の当たりにしたのである。

改修する空き家の、所有者による承諾は難航した。亀崎地区に空き家を所有している方々の多くは、家屋を貸し出すことには前向きではなかったからだ。建物の耐震性を心配する方、建物内の荷物を片付けることができないと困惑する方、定期賃貸契約を心配する方など理由は多岐にわたった。漠然と親戚が反対しているから、というような理由もあった。亀崎在住のコアメンバーである石川正喜さんと松下京子さんが中心となって、所有者を直接訪ねたり、根気よく電話したり、手紙を書いたりして説得にあたった。説得は長期化する場合もあった。空き家の所有者は近隣在住とは限らず、ましてや一軒の空き家に対してその所有者が一人だけとも限らない。改修する空き家が定まらなければ、事業者にも具体的な声がけができない。焦りも感じた。

そんななかで、「3軒長屋」の所有者から利活用の承諾をいただいた。3軒長屋は我々が

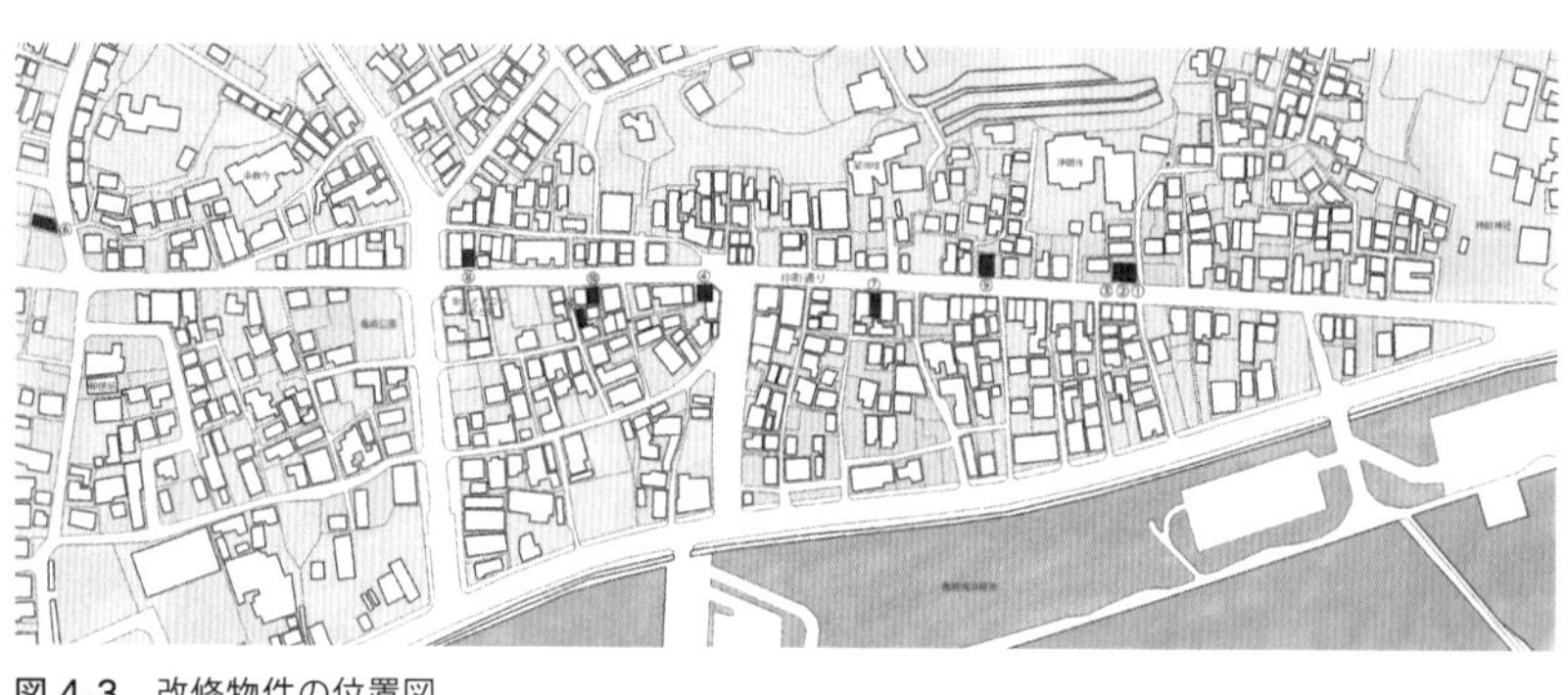

図 4-3　改修物件の位置図

このプロジェクトの中心的な改修となるであろうと密かに目論んでいた物件である。ていねいなお手紙でお断りいただいたこともあったが、立地的にも規模的にも、亀崎のまちに対して重要な建物であることを繰り返し説明した。この承諾により、3軒長屋がリーディングプロジェクトになることを確信することができた。

結果的に10軒（3軒長屋は3軒とカウント）の空き家について、利活用の承諾が得られた。意図したわけではなかったが、10軒中8軒が地区の目抜き通り（仲町通り）に面したものであった。これらが一気に改修されることになれば、まちの表情が明るく変わることになると直感的に思えた。

改修する建物が決まった後は、その建物を改修して事業を起こしてもらえる方（出店者）と出会わなければならない。これまでも人伝てやフェイスブックなどを通して、申し入れをくださった方はいたが、思うような成果を上げられていなかった。そこで「改修物件見学会」を実施した。先述の「ツアー」との違いは、利活用できる物件が具体的に決定しているため、より具体的に見ていただける点である。立地、面積、状態、想定家賃など、詳細な事柄を各々の使用勝手に充てはめて考えることができる機会である。つまり「ツアー」の参加者と「改修物件見学会」の参加者とでは本気度が違うということであり、我々の説明にも熱が入った。

ただし、どんな事業者でもいいから入ってくれれば良いと考えていたわけではなかった。コアメンバーのあいだでは、事業者には、自分たちと理念を共有し、組することができるような人が望ましいと話していた。そこで、事業者の選定はコアメンバーで面談して決定することした。幸い、事業者として名乗りを挙げていただいた方たちは誰もが、地域に愛着を持ち、我々の行う活動に深い理解を示してくれた。

6　専門家との連携と持続性の仕組み

空き家再生には専門家との連携が不可欠である。まちの資源を活用する、あるいは地域社会の課題解決のための市民活動であると言えども、空き家それぞれに所有者がいる財産であり、また言うまでもなく建築基準法や消防法、景観条例などの法令を遵守しなければならない。不動産契約には宅地建物取引主任者が必要である。今回はそれを想定して、コアメンバーの中に建築士も宅地建物取引主任者を含めた。

例えば、新規事業を始めるための融資相談や開業後の税金に関する相談、さらに空き家再生以外の助成金の紹介など、事業者がスタートアップしやすい環境を整えることも我々の役割であると考えた。前述したように、それを賄うだけのサブメンバーも集まってくれた。

さらに、補助金を使い切れば終了を余儀なくされてしまうことのないよう、持続する活動としていくためには、まちおこしの会が継続的に収入を得られるような仕組みが必要であった。そこで**図４－４**のようなスキームを考えた。

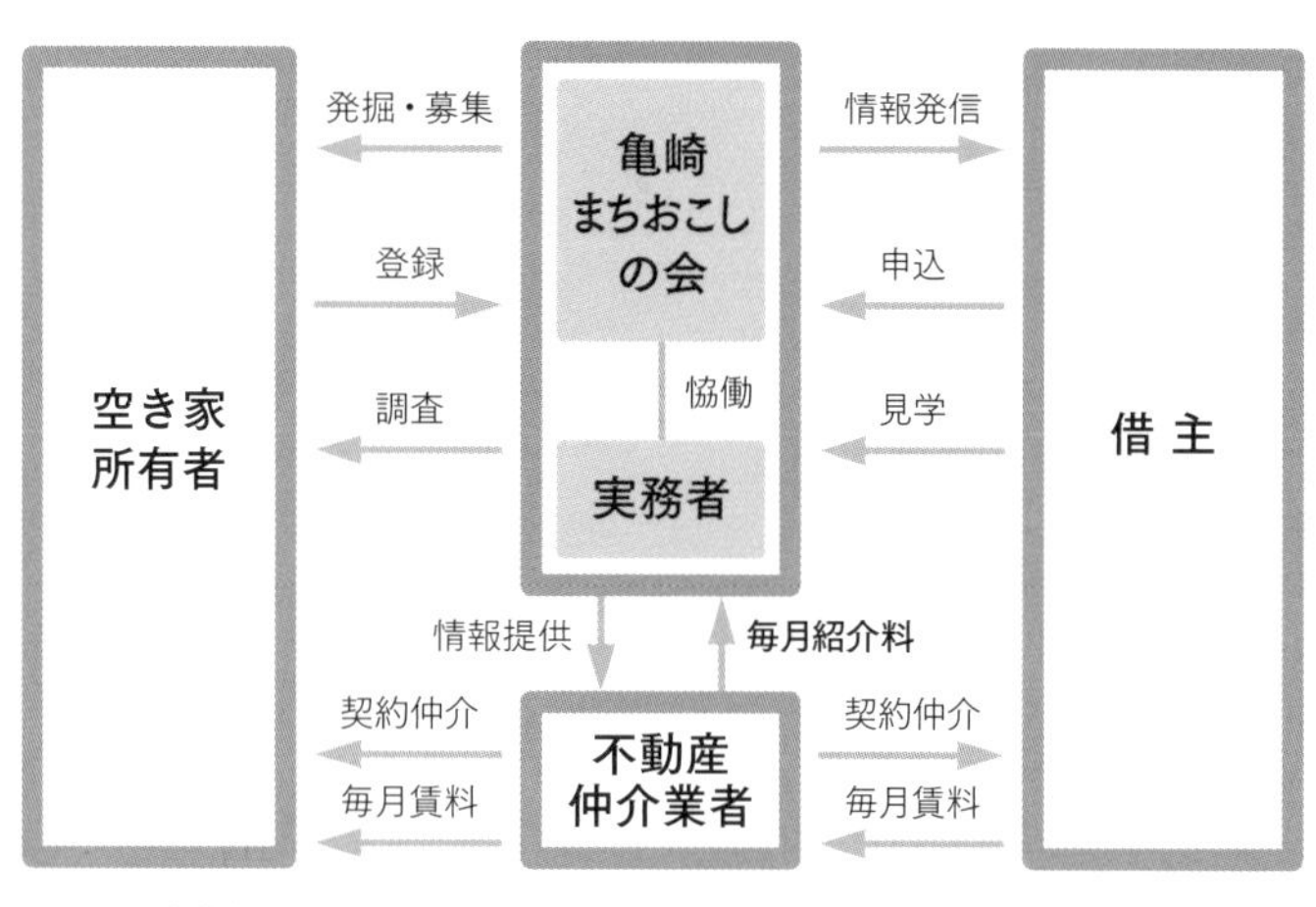

図 4-4　事業継続のためのスキーム

契約および取引の仲介は不動産屋にお願いするのだが、その橋渡しをスムーズにするのがまちおこしの会の役割である。空き家およびその所有者にたどり着き、説得してその利活用の承諾をいただいたり、利用者から所有者に直接クレームが入ることを避けるようにしたりと、近年聞こえてくる空き家問題の漠然とした不安を取り除くことにつながる取組を行っている。また、空き家の情報発信を通じて借り主（事業者）と出会い、見学いただき空き家を利活用していただく際、物件によっては助成金によりある程度改修された状態での入居が可能になるため、初期費用を抑えることができる。このように、まちおこしの会が介入することで、空き家利活用に対する障壁を少しでも取り除くことは、不動産屋の雑務を軽減し仲介を実現しやすくすることにつながった。

そうした成果に対し、不動産屋から「紹介料」という形で収入を得ることで、修繕費や、次なる空き家の改修を行う資金を捻出していく仕組みになっていた。「紹介料」はすべて、修繕費と次なる空き家の改修費として使われる。空き家の賃貸事業にはお金がかかる。旧い建具の隙間から強風により漏水したり、ご近所へ配慮して新たに塀を建てなければいけなくなったりと、予期せぬ修繕費が必要になるタイミングがある。収入がなければそのような事態に対応することができない。「亀崎空家再生プロジェクト」の継続には、収入は不可欠なのである。

7　改修内容の重みづけ

半田市による助成金3650万円のうち、約2500万円を空き家、空き店舗の改修をする費用とした。残りは、活動の情報発信のためのホームページを設えたり、まちを紹介するようなプロモーションビデオの作成費、あるいは新たな土産物を地元菓子店と開発する費用など、どちらかといえばソフト面のサポート事業に充てられた。

改修費約2500万円を10軒の改修に等分、あるいは面積按分するようなことはせずに、意図的な重みづけを行い、全面改修から給排水工事の一部の補てんをするだけというような資金援助まで、様々な資金配分を試みた。

この配分には、かけるべきところには予算をかけて、その効果を圧倒的にしたいという意図があった。その意図の良し悪しまでを判断できたわけではなかったが、そうしなければ3軒長屋のような建物は、規模的にも構造的にも、あるいは都市的な意味での外観も再生できないのではないかという切実さがあった。

そして、補助金を適用する工事金額を決める中で、それぞれの物件に対して「給排水」「耐震」「設備機器」「屋根」「外壁」「内装」「その他」という7つの項目の工事の是非を逐一思念し、判断していった。時として、補助金を充てずに事業者が工事予算を工面したケースもあった。

計画当初は行うはずだったが予算面の都合で工事を断念し変更するものがあったり、またその逆で、工

NO	名称	規模	建築年度	改修後用途	給排水	耐震	設備機器	屋根	外壁	内装	その他	事業者所有者工事
1	3軒長屋（東）	木造2階建て 224.83㎡ （約68坪）	大正 （1925年） 以前	未定	○	○	○	○	○	○	−	有
2	3軒長屋（中）			物販店（コーヒー）	○	○	○	○	○	○	−	有
3	3軒長屋（西）			飲食店（洋菓子）	○	○	○	○	○	○	−	有
4	100年町家	木造2階建て 86.12㎡（約26坪）	明治 （1911年） 以前	飲食店（蕎麦屋）	○	○	○	−	○	○	−	有
5	せこの隠れ家	木造2階建て 48.47㎡（約15坪）	昭和10年 （1935年）	住居（貸家）	○	（−）	○	−	−	○	−	無
6	旧今井邸	木造2階建て 104.34㎡ （約32坪）	昭和30年 （1955年）	住居（貸家）	−	（−）	○	−	−	○	はと糞 被害 修繕	無
7	望洲楼本邸	木造2階建て 賃貸部分：21坪	不明	飲食店（カフェ）	○補助	（−）	−	−	−	−	−	有
8	旧床六	木造2階建て	不明	貸しスペース	−	（−）	−	−	○	−	内装 撤去	無
9	通りの貸し部屋	木造2階建て 111.50㎡（約34坪）	昭和6年 （1931年）	貸しスペース	−	○	−	−	−	○	−	有
10	旧磯田邸	木造2階建て 62.10㎡（約19坪）	昭和30年 （1955年）	住居（貸家）	○	（−）	○	−	−	−	−	無

凡例：○＝該当する工事有り、−＝該当する工事無し、
（−）＝直接的な耐震補強工事は無いが、劣化度による軽減係数を上げることにより間接的に上部構造評点が上がる工事有り

図 4-5　改修物件とその内容一覧

事が始まってから必要と判断される工事項目もあった。改修工事は計画通りには進まない。解体してみないとわからない部分も多い。そんな即興性が改修の魅力のひとつであるが、裏を返せば計画の不確実性とも言えた。それは最後まで我々を悩ませた。改修工事中に予期せぬ事態が起こるたびに、コアメンバーで会議を設けた。それは一度や二度ではなかった。なかなか打開策が見いだせずに重苦しい時間が支配する会議もあった。予算配分を見直したり、近所の方へ説明に伺い了承を得ながら、なんとか進めていった。この紙面では打ち明けることができないような辛い経験もした。何のためにこんなことをボランティアでやっているのだろうか、心の底からそう思ったこともあった。

しかしながら、「ここで投げ出したら、自分のためにも、亀崎の人のためにもならないから」とコアメンバーの榊原安宏さんは諭し励ましてくれた。地域の人たちを裏切ってしまうだけでなく、メンバーで共有してきたこれまでの前向きな姿勢や苦労、あ

るいは感動のディテールまでも、みんな否定されてしまうのは耐えられない。ここで投げ出したらそうなりかねないと思ってとどまり、踏ん張り、プロジェクトを続けた。

8 改修のはじまりは片付け

改修物件が決定すると、物理的な最初の関門は「荷物問題」である。今回改修が決まった空き家には、例外なく荷物が多かった。所狭しと物が置かれている。電化製品から日用雑貨、服や布団、自転車や植木まで屋内外ありとあらゆるところに物が溢れている。暮らすという日常の行為は、物とともにあったのだと認識させられる。特に近代生活においては、「物」を所有すること自体が直接、生活の豊かさの担保につながった。だから物は捨てられずに堆積する傾向があった。改修はいつもそれらの片付けから始まった。

写真 4-5　空き家片付けの様子「旧床六」

コアメンバーはもとより、亀崎まちおこしの会の会員、市役所の職員、フェイスブックで興味を持っていただいた有志の方々にも参加していただき、空き家の片付けを行った。荷物を外に出しながら、所有者立会いのもと必要、不要を判断いただき、不要な物は軽トラに詰め込んだ。軽トラで清掃センターを何度も往復した。マスクは鼻の穴の部分だけ真っ黒になっていた。

しばらく使われていない室内は空気が淀み、暗く、かび臭い。置かれている物群は何か得体の知れない屍（しかばね）のように動かず鎮座し、ひどく重たいものに見えた。しかし、片付けが開始され、窓が開けられ外気が入って明るくなり、荷物を動かしてみると、見知らぬものとして重たく見えていたそれらは、既知の軽々しいものに感じるようになった。室内から物がなくなるにつれ全体の空気が澄んでいくのがわかった。過去だった室内が未来へと変わる瞬間だった。

毎回10人くらいで行う片付けは、一軒あたり2日間から4日間の時間を要したが、着実に一つひとつ片付いていった。がらんとした室内は広く感じ、全体を把握しやすくなり、リノベーション後の使われ方も断然想像できるようになった。

9　改修の具体的な内容について

10軒のリノベーションに際して、何か緩い共通のレギュレーションがある方が良いのではないかと考えた。10軒の建物は、幾人かの設計者、工務店によってそれぞれ設計、施工がなされる。インディペンデントな立場を尊重したかったが、10軒という数の建物が一気に改修されることを考えると、緩いまとまりがあっても良いのではないか。パッと見では気づかないがどこかで共通している、そのくらいの緩さで良い。物理的な外観については半田市の景観形成地区に沿うものとしたが、単体の建築に、もう少しだけ亀崎のまちと持続的な関係を持つための工夫を織り込みたいと考えたからだ。そこで以下の2つをレギュレーションとしてみた。

- **日々の活動がまちに対してプレゼンテーションされること**
- **近隣のネットワークが感じられること**

正直に打ち明けると、改修中はそれどころではなくなった場面が幾度もあった。それぞれの改修工事の苦労が大きく、レギュレーションどころではなくなっていた。予算調整や近隣説明、工事日程（助成金は年度内に支払った費用に限られていた）、事業者や入居者との話し合い、所有者の承認など、たくさんの作業が次から次へと押し寄せてきた。結局、その2つのレギュレーションに沿った改修になっていなくても、それを咎めることはできなかった。

しかし改修が終わってみると、何軒かははっきりと、また何軒かはぼんやりと、レギュレーションの効果を感じることができた。そば打ちをする姿が道路から見えたり、街かどサロンかめともで行われていた活動の一部が3軒長屋でも行われるようになっていた。

写真 4-6　空き家片付けの様子「100 年町家」

①「100 年町家」の場合

「100年町家」と呼んでいる建物は、仲町通りの中腹あたりに位置し、もともとは樽の製造および居住用として使われていた建物である。いつしか樽の製造は行われなくなり、居住専用となったが、それもなくなりしばらく空き家（物置）となっていた。約7×6メートルの矩形平面の切妻瓦屋根、平入、付け庇のある亀崎の典型的な町家だった。押入内のハシゴに近いような階段をあがると小屋裏部屋があった。通り庭があり汲み取り式の便所が裏庭に付け加えられていた。裏庭は奥行2メートルほどしかなく、隣地建物が迫っていて暗くじめじめとしていて、庭に面した下屋は荒れていた。瓦の重みで下屋の屋根は傾き、樋は外れ雨水が侵入していた。

写真 4-7　100年町家裏庭 改修前の様子

この建物を蕎麦屋に改修するのである。改修内容は「給排水」「耐震」「設備機器」「外壁」「内装」の5項目だ。筆者はこの建物の設計者でもあるため、設計意図とともに改修内容を説明したい。

平面計画は蕎麦打ち台の位置からはじまった。蕎麦打ち姿は必ずしも外から見られる必要がないため奥まった位置でも良いのだが、仲町通りに面した位置に配することを強く推した。手打ちであることのアピールもさることながら、そば打ちの一連の所作が地域の日常風景の一つになっていくことが重要だった。営業時間前の朝、蕎麦打ちが始まる。澄んだ空気の中、力強く生地が練られた後、のし棒で繊細に延ばされ、小気味よく蕎麦が刻まれていく。営業時間外の裏側の行為も、地域の日常であってほしいと考えた。

次に厨房の位置。そばを茹でる、てんぷらを揚げる、盛り付ける、配膳をする、食器を洗うなど一連の動作がスムーズに行われることが重要であり、また厨房器具の大きさ、冷蔵庫の寸法などが決められているため、まとまったスペースが必要であった。既存の階段や入口、天窓などの位置を考慮して東側に配することになった。

また、南側の縁側には小さなギャラリーを設けた。イベントのポスター掲示や街かどサロンかめもで行われる作品展のアネックスとして機能する計画とした。

カウンターを厨房沿いに長く配し、そこを通り庭（土間）とすることで南北に貫く動線計画とした。その土間の上階床を一部撤去し、吹抜け空間とした。そうすることで、これまであった通り土間形式

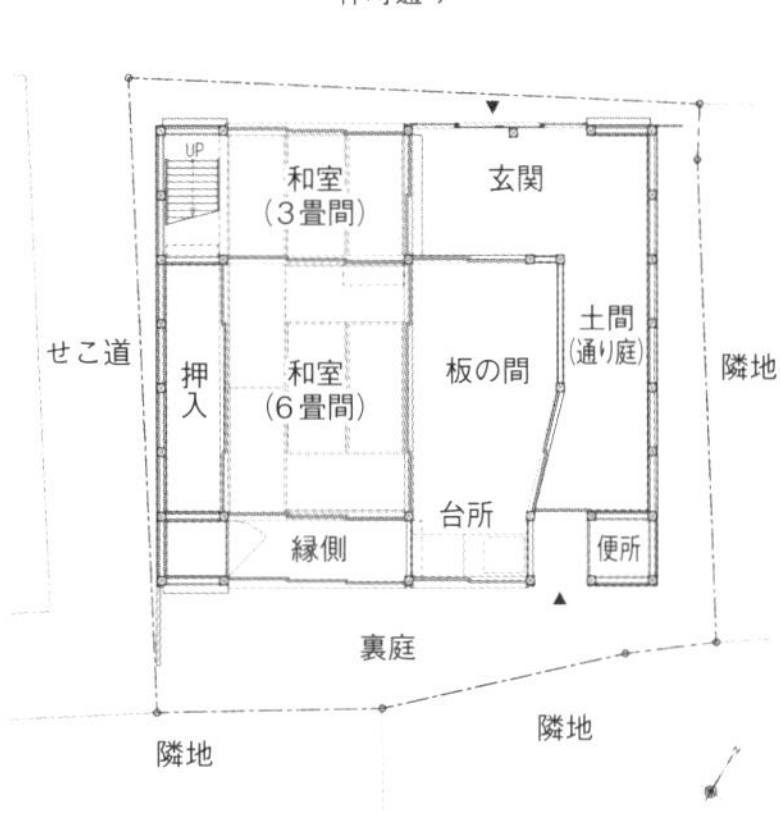

図 4-6　100年町家 1 階平面図（改修前）

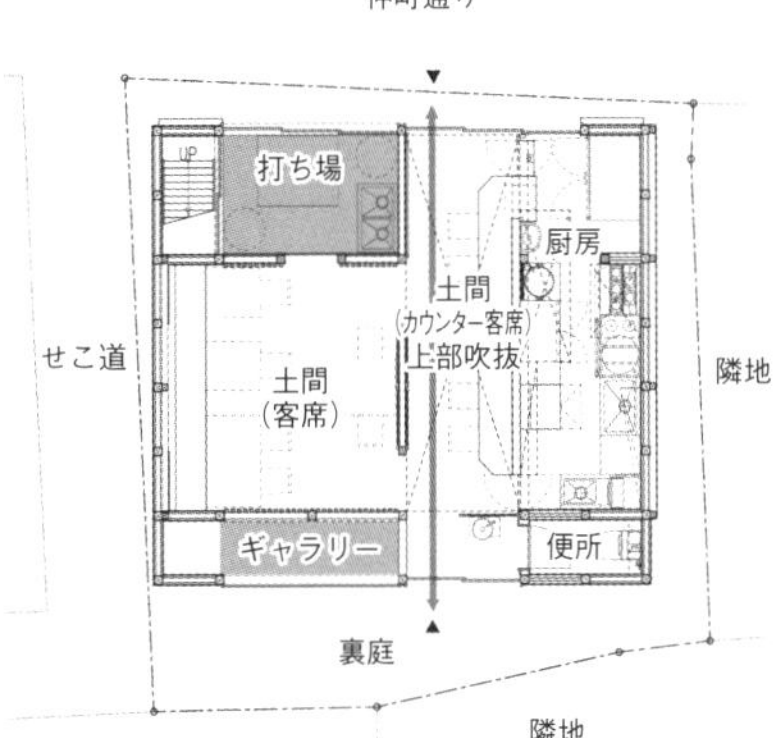

図 4-7　100年町家 1 階平面図（改修後）

の復活にとどまらず、より強固な回遊空間として、また店の象徴空間として機能する。さらにこの地域に張り巡らされている「せこ道との接続」という意味合いも強めた。

構造体は全体的に西側へ傾いていた。内部の古い建具には10センチメートルほども歪みが認められる箇所があった。そこで、ジャッキで持ち上げ、その位置で新たに設けられた基礎と柱に緊結して水平に近づけた。屋根の瓦を下ろさずに行う工事であったため、ゆっくりと慎重に作業は進められた。また、可能な限り、筋交いや耐震壁（構造用合板）、火打ち材をバランスよく追加して耐震性の向上を図った。仕

写真 4-8　100年町家 蕎麦の打ち場

写真 4-9　100年町家 ギャラリー

上げは荒々しくも、古い部材との調和を重視した。

仲町通り沿いの外観については、比較的状態が悪くなかったこともあり、傷んだ箇所と出入口建具などを取り替え、全体を整える程度の改修にとどめた。平入、付け庇のある町家という亀崎の歴史を色濃く感じることができる建物であったためである。地域の中でひっそりと、でも確かな存在感で継続して営まれ続ける店舗であることを願っている。

写真 4-10 100年町家 改修後外観

②「3軒長屋」の場合

3軒長屋と呼んでいる建物は、仲町通りの東側、神前神社の近くに位置する。その名の通り3軒が一つの建物になった長屋形式の建物である。その中の1軒は改修工事の始まる前年までは居住されていたが、それ以降は取り壊すべきか所有者は悩んでいた。前述した通り、本プロジェクトメンバーによる切なるお願いにより改修し活用することに承諾いただいた。およそ90年前に建てられた、亀崎地区でも有数の、古さが残り歴史が感じられる建物である。敷地の東側に面する道は「大坂」と呼ばれる海の見えるせこ道につながっており、亀崎らしさが感じられる立地であるため、この「亀崎空家再生プロジェクト」の中で最も重要な改修となる。

この建物をコーヒスタンドと洋菓子屋、そして未定の1テナントへコンバージョンする。内容は「給

写真 4-11　３軒長屋 コンペ審査会の様子

写真 4-12　３軒長屋 コンペ展示風景

排水」「耐震」「設備機器」「屋根」「外壁」「内装」の全面改修である。

この改修計画の最大の特徴は、設計者をコンペ形式で選定したことであった。愛知県内の大学の研究室に声がけして、4大学5研究室が参加した。このコンペはコアメンバーのひとりである建築家の吉村真基さんの発案によって行われた。コンペとした趣旨は、改修された完成品を利用するだけにとどまらず、改修の「過程」そのものを発信事業とするため、さらに空き家再生や景観醸成に親しむ契機とするためである。我々はそれを「リノベスクール」と呼んで、コンペ以外にも「新亀崎モデル」や「景観配慮と地域再生提案」などの企画も同時に行った。

コンペ審査員はプロジェクトメンバー3人の他に、半田市建築課の職員、建築史家の青井哲人さん、建築家の藤原徹平さんにもお願いし、亀崎地区内の来教寺で行われた審査会は白熱した。各研究室によるプレゼンテーションと質疑応答、審査員による議論と投票の結果、名古屋市立大学久野紀光研究室が選定された。当選案は現状を大きく改変するものだった。長屋の隔壁を取り払ってワンルーム空間とし、その中に耐震コアとなるボックスを新たに散りばめる。耐震コア内はテナントの拠点（厨房）や階段室となっており、それ以外を共有スペースとして各テナントがいっしょに利用する。提案はハード面だけにとどまらず、3軒長屋の今後の全体運営にまで関わる大胆なものであった。

写真 4-13　3 軒長屋（改修後外観）

10　亀崎空家再生プロジェクトを通じて

プロジェクトが始まった当初、地域の方と話していると、空き家活用に対してネガティブな意見は少なくなかった。まちの経済のためにも空き家は取り壊して新しい建物にするべきだという意見や、まとまった数の空き家を更地にして駐車場にという意見、あるいはせこ道ではなく建築基準法に合致する道路を設ける開発を行うべきだという意見だ。つまり基準法制定以前の古い家がまちに残っているせいで新しい近代的なインフラとしてのまちになることを阻んでいるという考えだ。それは、前進している実感が持てない街並みに対するフラストレーションのようだった。

そのような意見が今回の「亀崎空家再生プロジェクト」を通じて変わったかどうかはわからない。また、事実として今回の10軒の改修が経済的に大きな潤いをまちにもたらしたわけでもない。しかしながら、まちの前進に対するアクションは、必ずしも大きな変革（土地の開発行為）だけではない、ということは示せたのではないか。ないものねだりではなく、現状のまちに存在する資源に目を凝らし、小さな特徴を増大させるような実践こそが、まちを、確実に前進させる。これまでの積み重ねの一重になることができる。このプロジェクトは、まちの豊かさを形作る多様性へのひとつの貢献、と言えるのではないだろうか。

11　改修工事の傍らで

工事の進捗を確かめに100年町家の現場に行くと、決まって未開封の缶コーヒーが並んでいた。職人さんに聞くと、コアメンバーの石川正喜さんが毎日届けに来て、「ご苦労さまです」と一言だけ残して置いていくとのことだ。

コアメンバーの松下京子さんは自転車で、改修中の建物を夕暮れどきに見て回っている。足場廻りの雑草が気になれば草引きをし、近所の人に会えば声をかけて改修工事の進捗などを話している。

3軒長屋はオープンしてしばらく、1つのテナントが決まらなかった。3テナントが日替わりに共用部の掃除を行う約束であったが、1つのテナントが決まらないので2つのテナントの負担が大きくなってしまう。開店直後の慣れない時期ではなおさらだ。そんな状況を鑑みて、コアメンバーの榊原安宏さんは週2回、車で約30分の道のりを通い、店内と裏庭、建物廻りの掃除を買って出た。それは数カ月間続いた。

改修工事の傍らで、メンバーが見せた素朴で温かな姿を心に刻もう。それが亀崎のまちの底知れない魅力の正体だから。

石川正喜さん　松下京子さん

石川正喜さんと松下京子さんは、70代でまちづくりを牽引する立役者で、常にまちに関わる人たちの窓口になり続けているキーパーソンである。

―まちに住んで何年ですか?

石川:僕は亀崎に71年住んでいます。しかし15〜28歳の間は日暮里に住んでいました。(東京から)まちに帰ってきたときは20時に店が閉まるのがいやだった。しかし、やがて何もないのが良いと思うようになりました。工場のあるまちより、亀崎の方がなんとなく良いと感じました。何もないのが良い。皆が顔見知りで、店が衰退しつつも良いまちだった。

―まち並みは変わってない、だからこそ危機感なんてなかったのですか?

石川:変わっていない、だからこそ危機感なんてなかったのです。

松下:私は昭和48年に大阪から寺に嫁いできました。幼稚園に子どもが入るとご近所付き合いができるようになり、お寺で御経教室を行ったのが地域に出て行くきっかけになりました。その延長で「ルート21」の活動を始めました。これで17年目。祭り一辺倒なまちなので、祭り以外の文化を入れないと衰退すると思い、亀崎の文化を探してマップの制作などを行ったりしました。潮干祭には人が大勢来るのにまちにお金が落ちる仕組みになっていない。お土産なども何もなくて。それが不思議でお菓子の開発をお願いしました。

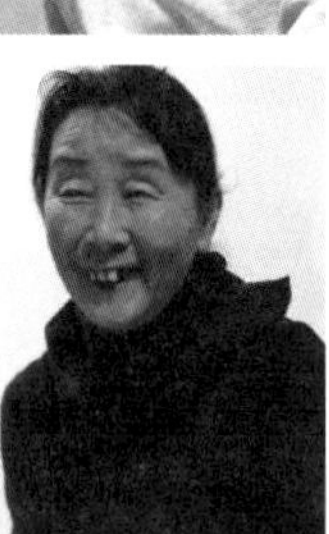

―亀崎は閉鎖的だと思いますか?

石川:閉鎖的ではないが、何事もゆっくりやると良いです。急激な変化は良くない。

松下:そうです。まちの住民は、はじめは見ているだけでもしばらくすると入ってきてくれます。

石川:こつこつやり続けることが大切。今は後継者がいないのでそれを作っていきたい。だから私は若い人を意識して立てるようにしています。

松下:循環型ね。それが「街かどサロンかめとも」のモットーにもなっています。

―空家再生プロジェクトはどうでしたか?

石川:亀崎を変えたと思う。私も「自分がなんとかしないと」という気持でやっていました。今思うととても楽しかった。若い人も来るようになったのが大きい。

―子どもや学生と関わる中で気持の変化などはありましたか?

石川:皆かわいい。一生懸命やっていると応援したくなる。そうすると一生懸命やってくれる。それを大人が最初にしかけるのが大切ですね。自発的に動くようになるし。亀崎は人情が残っています。人格を認めることですね。

―まちづくりが盛りあがっている一方で、空き家は取り壊されています。昔ながらのまち並みから、今はどんな未来の風景を想像していますか。

石川:変化をそのまま受け入れていくのが良いと思います。まちの人が意識して介在していれば、悪い変化はおきないのではないかと思っています。

第五章　人が動くまちづくりへ

亀崎は現在、まちの住民のみならず、他所からの人も活き活きと参画し、学生にとっても多くの学びを得る現場となっている。そのようになった推進力は何であったのか。

図5−1を見ると、２０００〜２０１０年ごろに地元住民による自主的な活動やイベントが開始されている。中でも大きな動きが「ろじうら」であり、その中で地域の魅力が発掘され、若手の動きが活発化しはじめた。さらに２０１３年、亀崎まちおこしの会が発足し、まちの人と外部の人がともに語りあう「町づくりを考えるワーキンググループ」が開始され、まちが他者を受け入れる体制へと変化していく流れが見られる。三章のろじうら、四章の空家再生プロジェクト、いずれも決して平坦な道ではなかったが、これらをきっかけにまちに新たに参画する人が集まるようになっていった。

ところで、空き家再生の補助金の後には、特に目立った補助金はおりていない。それでも現在、様々な活動が自主的に展開されている。そこでは、老若に渡るキーパーソンの関わりも光っている。４人のキーパーソンへのインタビューは、彼らの強い使命感も伺える内容となっているが、ひとことで言えば、キーパーソンが黒子としての関わりに多くの時間を割いているように思える。彼らは、あちらこちらからまちに魅力を感じて集まってくる人々を活かして、自由にのびのびと活動を続けられる環境づくりを行う。

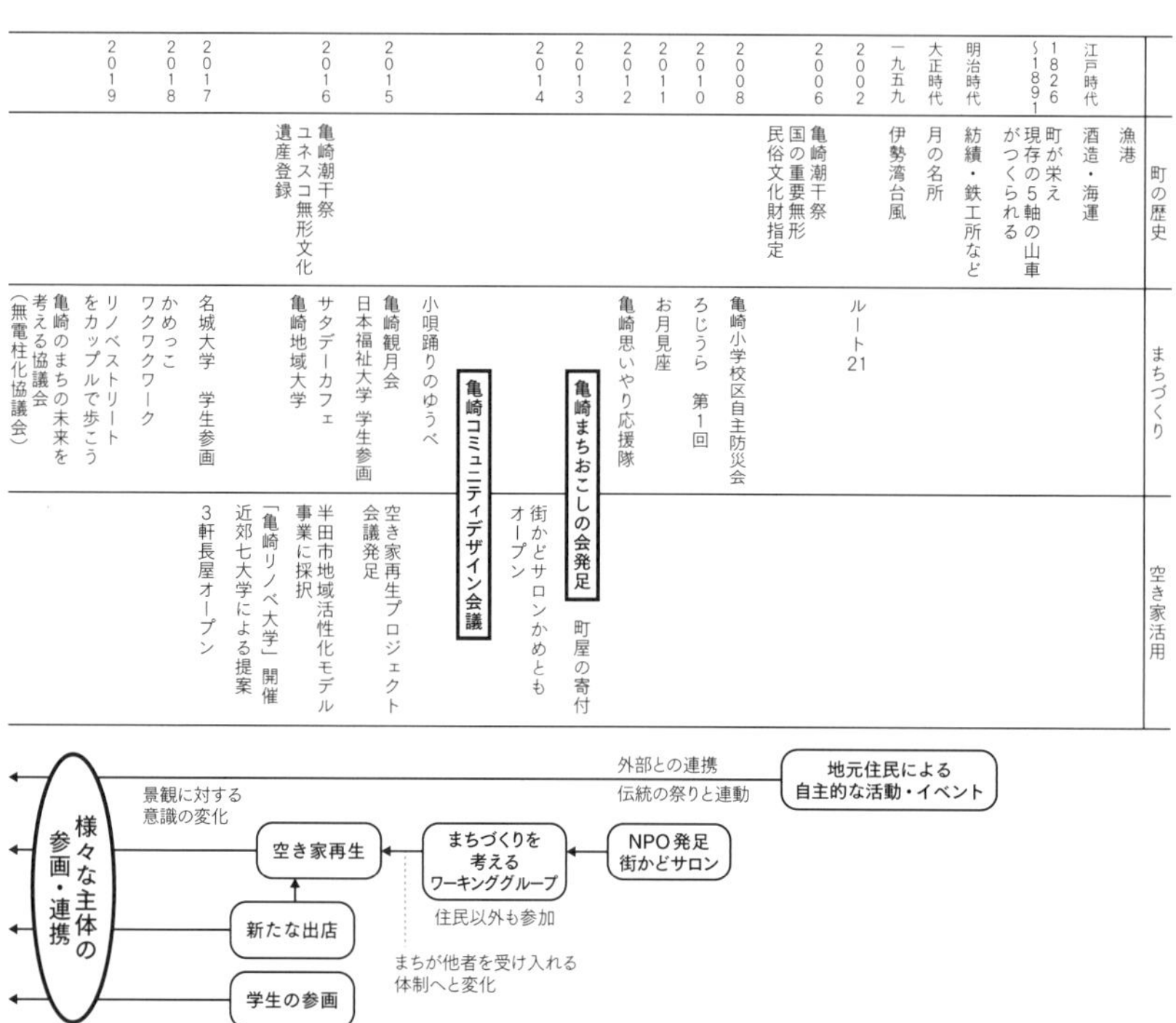

図5-1　まちづくり年表

また、徐々に価値変化も起きているように思う。当初、大きな2つの出来事（ろじうら、空家再生プロジェクト）に牽引されたまちだが、補助金だのみでは長くは続かない。その中で今は、いかにフットワーク軽く、無理なく活動を続ける仕組みをつくるかに転じつつある。すでに地域にある力を活かしてネットワーク化して見える姿にする、始めたい人の小さな一歩を応援する、小さな活動にも関係人口を増やすなど、いくつかの発見がある。その積み重ねにより、小さな活動があちらこちらでいつも起きている姿に向かおうとしているようだ。そのことをまちの人は「365日、ちょっといい、何かがあるまち」を目指したいという。

人を活かすまちづくりこそが推進力となって、人が動くまちへつながっているのである。

〈執筆者〉

市川大輔

1980年生まれ。宇都宮大学大学院工学研究科博士前期課程修了。adm（architectural design market一級建築士事務所）代表。地域に根付いた建築設計のあり方を模索している。建築作品に「亀崎公園の再編」「六層二階建ての窓／障がい者福祉施設リナスト」「片流れの離れ」などがある。建築設計とともに地域活動にも積極的に参加。2015年より知多半島トークイベント「545まちばなし」主催。（第四章を執筆）

生田京子

1971年生まれ。早稲田大学大学院理工学研究科修士課程修了。名古屋大学大学院環境学研究科博士後期課程修了。博士（工学）。名城大学理工学部建築学科教授。建築作品に「forest bath」「ものづくり創造拠点SENTAN」、著作に「デンマークのユーザーデモクラシー」「公共施設の再編　計画と実践の手引き」「北欧流「ふつう」暮らしからよみとく環境デザイン」などがある。（第一・二・五章を執筆）

池脇啓太

1980年生まれ。日本福祉大学地域連携アドバイザー兼半田市観光協会観光ディレクター。 住民のエンパワメントを高めながら地域を活性化させることを目標として様々な取組の中に市民協働的要素を取り入れる。代表的取組に「ろじうら」「半田運河キャナルナイト」など。（第三章を執筆）

表紙イラスト画：岩田智草

西山夘三記念 すまい･まちづくり文庫（略称：西山文庫）**について**

わが国の住生活及び住宅計画研究の礎を築いた故京都大学名誉教授西山夘三が生涯にわたって収集・創作してきた膨大な研究資料の保存継承を目的として1997年に設立された文庫で、住まい・まちづくり研究の交流ネットワークの充実、セミナーやシンポジウムの開催、研究成果の出版などを行っています。「人と住まい文庫」シリーズは、すまい・まちづくりに関する研究成果をより広く社会に還元していくための出版事業であり、積水ハウス株式会社の寄付金によって運営されています。

参加したくなるまちづくり

～半田市亀崎での地域資源発掘型活動の記録～

2020年10月1日発行

著　者　市川大輔・生田京子・池脇啓太
発行者　海道清信
発行所　特定非営利活動法人 西山夘三記念 すまい・まちづくり文庫
〒619-0224　京都府木津川市兜台6-6-4 積水ハウス総合住宅研究所内
電話　0774(73)5701
http://www.n-bunko.org/
編集協力　アザース
デザイン　松浦瑞恵
印　刷　サンメッセ株式会社

Printed in Japan
ISBN978-4-909395-05-4